Hannenorak et le vent

Jean Sioui

[CORNAC]
5, rue Saint-Ursule
Québec, Québec J1R 4C7
info@editionscornac.com

Conception graphique et infographie : Jimmy Gagné
Illustrations : Manon Sioui
Révision : Catherine Venne
Correction : Alice Finaz

Distribution : Prologue
1650, boul. Lionel-Bertrand
Boisbriand, Québec J7H 1N7
Téléphone : 450 434-0306 / 1 800 363-2864
Télécopieur : 450 434-2627 / 1 800 361-8088

Distribution en Europe :
D.N.M. (Distribution du Nouveau Monde)
30, rue Gay-Lussac
F75005 Paris, France
Téléphone : 01 43 54 50 24
Télécopieur : 01 43 54 39 15
www.librairieduquebec.fr

Les éditions Cornac bénéficient du soutien financier du gouvernement du Québec – Programme de crédit d'impôt pour l'édition de livres – Gestion SODEC, et sont inscrites au Programme de subvention globale du Conseil des Arts du Canada. Nous reconnaissons l'aide financière du gouvernement du Canada par l'entremise du Programme d'aide au développement de l'industrie de l'édition (PADIÉ) pour nos activités d'édition.

Société de développement des entreprises culturelles
Québec

Dépôt légal — 2008
Bibliothèque et Archives nationales du Québec
Bibliothèque nationale du Canada
ISBN 13 : 978-2-89529-134-3

Ne jamais écrire
dans les documents
ni les découper

Jean Sioui

Hannenorak et le vent

Je suis Chaman-dake, un vieux sorcier.
Je détiens la sagesse des ancêtres.
J'habite une longue maison à l'ombre d'un chêne qui raconte des légendes.
Certains disent que mon corps est troué de vent. Ils disent que mon esprit flotte dans le ciel. Moi, je dis que je prends mon savoir à la cime du vieil arbre.

Chez nous, tout est sauvage.
Respirer même est un don du vent.

Chapitre un

Un jour de pleine lune, comme l'avait prédit le prophète, naît sous l'épinette blanche l'Enfant des vents.

Il est pour la nation de la Corde[1] celui qui va détenir de grands pouvoirs. Celui qui va devenir la force des Wendats.

Pourtant, à la lune suivante, l'enfant tombe malade.

On va chercher Ours, l'animal médecin qui pourrait trouver un remède pour le guérir. Quand Ours arrive, l'enfant n'est plus couché sur les racines de l'arbre.

---

1. Les Attignenongnahacs.

La Femme-du-Ciel prétend avoir reçu un rêve, elle qui dort le cœur ivre d'images sous la lune depuis le jour où, alors qu'elle était encore bébé, un aigle l'a tirée de son tikinagan[2] pour la faire voyager au-dessus des nuages. Elle dit avoir vu un gros vent emporter un enfant dans le ciel.

Elle reconnaît alors le petit homme du vent endormi sur un nuage gris.

Puis soudain, le vent s'immobilise.

Le cumulus en forme de hamac échappe, dans une traînée de brume, quelques gouttes sur terre.

Il pleure parce que le vent ne souffle plus.

Au village, tout est devenu trop calme.

Les enfants questionnent leurs mères :

---

2. Porte-bébé que les femmes mettent dans le dos.

– Où est l'enfant?

– Où est le vent?

Les nuages ne dessinent plus toutes sortes de formes imaginaires dans le ciel.

Les feuilles des arbres, comme des chauves-souris agrippées en plein jour, pendent par la queue aux branches qui s'étirent paresseusement.

Le lac se fige. On le croirait surpris par la première gelée de l'hiver.

Même les longs cheveux noirs de la belle Oandicha se collent sur sa tête, lisse comme l'écorce du hêtre.

Et les plumes multicolores de la lance du chef de famille, plantée devant la porte de la longue maison, restent bien collées au manche. Dans cette maison, vivent avec lui ses parents, ses enfants et tous ceux qui descendent de la lignée de sa mère. Dix ou douze familles se partagent ainsi la même maison. Celle-ci est construite avec des troncs d'arbres attachés ensemble par des racines et des lanières de cuir. Elle est faite d'une seule pièce et il n'y a pas de chambre. Les lits sont disposés le long des murs. C'est autour du grand feu, au centre de la longue maison, qu'on se réunit pour écouter les histoires des Anciens.

Le vent est muet.

Le vent est mort.

Chapitre deux

Le Porteur de Pipe, celui dont l'âme et le cœur sont purs, celui qui est le premier à entrer dans la danse en tenant solennellement le calumet dans ses mains lors des cérémonies importantes, danse pendant deux jours complets autour du feu sans qu'un seul souffle ne vienne attiser la braise.

Le chaman décide alors qu'il est temps pour lui de se retirer pour méditer sur la question du vent.

À la nuit tombante, il entre dans la grande tente érigée au centre du village. Cette tente est ornée à l'extérieur de peintures d'animaux représentant les emblèmes des clans wendats : l'ours insociable qui flâne dans nos forêts, le chevreuil qui danse gracieusement au lever du jour, le loup qui hurle dans la nuit et la tortue qui porte sa lourde carapace.

Attachée en haut de la tente, une corde pend jusqu'au bas du dessin de la Grande Tortue, celle qui a porté la Terre sur son dos. Parce qu'au commencement du monde, selon la légende, la Terre n'existait pas ; ce n'était qu'une île qui flottait au-delà du ciel dans l'océan des premiers âges. Il n'y avait en bas que de l'eau et des animaux aquatiques. Un beau jour, une jeune femme de la nation des Wendats, qui habitait cette île et se nommait Aataensic, est partie à la recherche de plantes médicinales, mais elle a trébuché sur la racine d'un arbre. Ce dernier s'est aussitôt abattu et l'a entraînée dans sa chute dans un trou du ciel. Pour la sauver de la noyade, les animaux se sont précipités à son secours. Émues par sa beauté, les grandes oies ont vite pris leur envol et amorti sa chute. Elles l'ont ensuite déposée sur le dos de la tortue, puisqu'il fallait lui trouver un endroit confortable où elle pourrait vivre. Les animaux se sont alors réunis en conseil et ont décidé de créer pour elle une grande terre. Avec beaucoup de difficulté, des plongeurs ont recueilli un peu de boue collée aux racines de l'arbre qui avait coulé tout au fond de l'eau. La Grande Tortue a proposé de porter cette terre sur son dos, aussi les animaux se sont-ils mis à étendre la boue sur sa carapace. Et la terre s'est tellement étalée qu'elle est devenue une grande île, puis un continent et enfin la planète que nous connaissons.

Les lucioles commencent à peine à s'illuminer que toute la tribu se réunit autour de la tente pour encourager le chaman à l'aide de chants et du son des tambours.

Tout à coup, on entend des cris d'animaux et la tente commence à trembler.

Puis, la corde le long de la tente se met à se tresser d'elle-même.

Lorsque le chaman sort de la transe qui avait envahi son esprit, il annonce que le vent revivra le jour où quelqu'un réussira à défaire les tresses de la corde. Ce jour-là aussi, l'enfant guérira.

Le chaman est un vieux sage. Il est thérapeute, guérisseur et voyant. Il est l'initié du peuple dont il est issu. Il est celui qui a la mission de transmettre la culture, les croyances et les pratiques religieuses de sa nation.

Il sait aussi que jamais personne, depuis les temps anciens, n'a réussi à défaire les tresses d'une corde après le rituel de la tente tremblante.

Contrairement à ce qui est toujours arrivé, le chaman, pendant sa transe, n'a pas trouvé son inspiration grâce à l'esprit d'un animal sauvage, mais grâce à celui du coq qui se tient presque tout le temps à la girouette fixée au sommet de l'église des hommes blancs implantés comme colons près du territoire des Wendats. C'est en réalité bel et bien un vrai coq fait de chair et de plumes, et non en étain, comme on a l'habitude d'en voir au clocher de la plupart des églises des autres villages. En effet, les colons du Cap à l'Aigle – colonie ainsi nommée parce qu'un aigle, roi de l'air, niche sur la montagne tout près – n'ayant pas les moyens de s'en payer un en étain, c'est un vieux fermier qui le leur a donné, car il le trouvait bien particulier. Il faut dire que ce coq a étudié le vol avec un harfang des neiges, devenu son ami. De plus, même s'il est le coq d'un simple paysan, donc sans grande lignée, il regarde le monde de haut, scrute les environs et en rapporte tout. Il est ainsi devenu le confident du chaman.

Tous les Wendats font confiance au chaman, et tous reconnaissent que les animaux comme le coq sont pour lui de bon conseil.

Rat Musqué, le fils du chaman, voudrait bien lui aussi parler aux animaux comme son père. Les Anciens savent qu'il lui manque encore beaucoup de savoir, mais le jeune prétend depuis longtemps être choisi. C'est pour cela qu'une fois, on lui a donné une leçon. Et c'est bien connu, les Wendats aiment jouer des tours.

En fait, les Anciens surveillaient Rat Musqué, car ils savaient bien que l'enfant finirait par s'improviser chaman. Est donc arrivé le jour où Rat Musqué s'est faufilé dans la tente tremblante pour invoquer les animaux conseillers. Pendant qu'il prononçait toutes sortes d'incantations aussi bizarres les unes que les autres, les gens du village se sont approchés à pas feutrés de la tente, l'un d'eux portant un panier d'osier recouvert d'une pièce de cuir. Soudain, tous les Anciens se sont mis à hurler et à frapper sur la tente avec des fouets de quenouilles.

Puis, celui qui tenait le panier a retiré la pièce de cuir, sous laquelle se trouvaient plein de couleuvres de toutes les couleurs et de toutes les grosseurs, attrapées par les enfants sous les roches au bord du marais. En soulevant un coin de la tente, l'homme au panier a laissé s'échapper les serpents en question, qui se sont mis à zigzaguer partout dans la tente. Rat Musqué est alors resté figé par la peur et a crié jusqu'à manquer d'air. Quand il est enfin sorti de la tente, il avait le visage aussi blanc que celui du missionnaire qui vient à l'occasion au village.

Voilà comment on a calmé pour un bon bout de temps l'arrogance qu'avait Rat Musqué de détenir les pouvoirs de son père.

Les Anciens ont raison : il devra encore grandir avant d'être chaman comme son père. La visite des couleuvres lui a permis de le comprendre.

Chapitre trois

Loin dans les territoires ancestraux, sur les terrains de sa famille, Hannenorak apprend avec son grand-père, Tehatsiendahe (Habile-Chasseur, dans la langue des hommes blancs), les secrets de la chasse. Habile-Chasseur est un homme de grande prestance. Son corps est vieux, mais toujours bien musclé. Ses yeux sont aussi noirs que la nuit et perçants comme ceux du vautour. Il marche courbé, entraîné qu'il est à porter une charge de peaux d'animaux, son canot et ses provisions tout le temps que dure la chasse.

Habile-Chasseur enseigne au jeune Hannenorak les bienfaits de la nature sauvage et ses lois.

Dans les sentiers qu'il emprunte avec son petit-fils, sous les bras des grands arbres qui pointent majestueusement leur nez vers le ciel, il murmure presque constamment la même phrase. Les mots qu'il répète inlassablement semblent sortir directement de son âme :

« Au milieu d'une forêt, respecte le silence. »

« Au milieu d'une forêt, respecte le silence. »

« Au milieu d'une forêt, respecte le silence. »

Le grand-père ne parle pas beaucoup lorsqu'il marche en forêt. Il traîne habilement ses vieux mocassins d'une piste à l'autre en écoutant le moindre bruit. Mais lorsqu'il s'arrête pour dire quelque chose, les mains jointes, le front levé vers la cime des arbres comme s'il voulait demander une permission à la forêt, il raconte fièrement les exploits des chasseurs d'autrefois, se rappelant leurs prouesses légendaires.

Le soir, de retour au campement après les fatigues de longues marches, le vieil homme assis devant un bon feu devient plus loquace. Il répète au jeune Hanne-norak les principes du bon chasseur.

Il enseigne à l'enfant, en regardant les tisons du feu danser dans l'air frais du soir :

« Tu dois apprendre à écouter toutes choses qui te chuchotent leurs secrets. »

« Tu dois apprendre à regarder la plus petite lumière qui danse dans les gouttelettes qui ornent les arbres. »

«Tu dois apprendre à prier dans la montagne bleue pour ensemencer la Terre des mots de ton cœur.»

«Tu dois être reconnaissant envers le Créateur en te rappelant qu'aucun gibier ne t'appartient et que ce que tu attrapes, tu dois le partager.»

Ces grandes lois s'incrustent dans l'esprit du jeune homme, qui apprend à chérir chaque minute de vie partagée avec son grand-père.

Il apprend aussi comment communiquer avec les animaux, qui lui parlent en retour pour faire connaissance.

Il apprend à les aimer.

Il apprend que le Grand-Esprit a donné les animaux pour qu'ils soient ses frères, qui le nourriront quand il aura faim.

Il apprend à les respecter et à ne pas les tuer par plaisir.

Il apprend à vivre en harmonie avec la nature.

Retiré dans les territoires, sans contact avec les gens du village, apprendre la vie passe par la connaissance des usages du monde sauvage et l'écoute des conseils des ancêtres. Hannenorak admire la sagesse d'Habile-Chasseur.

C'est bien connu : lorsque les plus vieux se souviennent, les jeunes baissent la tête et écoutent.

Il ne faut cependant pas croire que les récits des Anciens sont toujours sérieux. Les jeunes s'amusent souvent des histoires drôles que ceux-ci racontent les soirs d'hiver, quand tous se réunissent autour d'un bon feu au centre d'une longue maison. Une de leurs histoires préférées est celle de Pied-de-biche, un membre de leur tribu. On l'appelle ainsi parce que quand il marche, on croirait qu'il danse. Comme s'il sautillait tout le temps. Comme s'il sautait toujours d'une pierre à l'autre pour traverser un ruisseau.

L'histoire dit qu'un beau jour d'automne, Pied-de-biche est justement parti avec le grand-père d'Hannenorak, qui était encore jeune à cette époque, pour la chasse à l'orignal. Pied-de-biche était nerveux et souvent réagissait vite, sans trop réfléchir ; ce n'était pas pour rien qu'il tressautait tout le temps. Mais ce jour-là, il a eu de la chance. Il a été le premier à apercevoir un gros orignal mâle qui s'abreuvait au bord d'un lac. Alors, il a pris son arc et a tiré sans prendre soin de bien viser. L'animal s'est affaissé sur le coup, laissant échapper de ses larges narines ce qui semblait être son dernier souffle.

C'est du moins ce que Pied-de-biche croyait. Sans attendre, il s'est précipité jusqu'à l'orignal étendu sur le côté, et sans réfléchir il s'est assis en selle sur son large cou. Soudain, sans avertissement, l'animal s'est relevé d'un bond. Il n'avait été qu'ébranlé par la flèche qui l'avait effleuré et il a déguerpi au grand galop vers la forêt. Pied-de-biche, à califourchon sur l'orignal, criait comme un fou. Habile-Chasseur rapporte qu'il entendait les branches des arbres craquer contre la bête apeurée qui se sauvait droit devant elle, Pied-de-biche toujours sur son dos. Puis, Habile-Chasseur n'a plus rien entendu. Il lui a fallu un long temps de marche pour enfin retrouver son partenaire de chasse agrippé à une grosse branche qu'il avait réussi à attraper lorsqu'il était passé dessous. Ce fut le premier tour à dos d'orignal de toute la longue histoire des Wendats.

Hannenorak se nourrit de toutes ces histoires, les comiques comme les plus sérieuses. Il écoute avec attention les conseils de son grand-père. Il vit les meilleurs moments de sa jeune existence. Voilà quinze lunes déjà qu'il court en forêt en toute liberté... sans se douter que le vent a quitté son village, au grand désarroi de tout son peuple.

Son grand-père a de son côté toujours pressenti qu'Hannenorak était né pour un grand destin, et ses rêves des dernières nuits lui ont montré une corde tressée qui avançait vers son petit-fils comme un grand serpent. De plus, les murmures de la forêt lui rappellent sans cesse que bientôt, il faudra repartir pour le village.

L'intuition est souvent une petite ombre qui se hasarde dans le cœur, et Habile-Chasseur sait ouvrir son cœur au moindre signe...

Chapitre quatre

Pendant ce temps, au village, Adario le Grand-Chef se fait du souci pour sa tribu. Il a passé la journée de la veille accroupi devant la porte de sa longue maison sans bouger, et ce matin, il y est de nouveau.

Habitée habituellement des rires, des chants et des danses de sa famille, sa maison semble maintenant bien triste.

Le chaman, qui a perdu tous ses pouvoirs après la soirée de la tente tremblante, vient voir Adario.

— Qu'est-ce qui nous arrive ? demande-t-il.

– C'est inexplicable, balbutie le Chef, complètement abattu.

La voix d'Adario semble vouloir s'éteindre comme le souffle du vent. Pourtant, il n'a pas l'habitude de rester à ne rien faire et il a souvent réponse à tout.

— Que vas-tu faire ? reprend le chaman.

— Rester assis ici, dit Adario.

— Tu ne réuniras pas le conseil ?

— Aujourd'hui, je ne saurais pas quoi leur dire.

Adario est un homme costaud et vigoureux. Mais maintenant, impuissant face à la disparition du vent, il a plutôt l'allure d'un lapin hypnotisé par les crocs d'un loup blanc.

— Quoi, alors ? lui demande le chaman.

— Je réfléchis. Et je prie le Grand-Esprit, répond Adario.

— Et que demandes-tu au Grand-Esprit ?

Adario lève les bras au ciel.

— Un miracle, dit-il. Qu'il m'envoie celui qui saura défaire les tresses de la corde.

Plus l'homme est agile d'esprit, plus il comprend qu'il a besoin des autres.

Le chaman s'interroge et n'imagine personne qui soit capable de défaire les tresses de la corde. Il s'en va découragé, en traînant ses mocassins à travers le village.

À la chaleur du milieu du jour, il revient cependant avec les jeunes hommes de la tribu. Ils se tiennent face au Chef, aussi immobiles que les arbres morts figés au bord du bois qui entoure le village.

Adario garde le silence pendant un long moment. Puis, il finit par dire :

– Je donnerai ma fille Oandicha comme épouse à celui qui me reviendra avec la corde déliée autour de la taille.

Normalement, cette annonce devrait exciter tous les guerriers du village. Oandicha est en effet la plus belle des squaws[3], et chacun des jeunes guerriers voudrait bien en faire son épouse.

Mais cette fois-ci, le désir des jeunes hommes semble avoir disparu avec le vent.

3. Femme amérindienne.

Chapitre cinq

Soudain, dans un bruit d'ailes semblable au tonnerre, le Grand Aigle à tête blanche, que les Amérindiens nomment l'Oiseau-Tonnerre et que l'on voit sur le totem[4] de leur village, s'élance hors de son nid. Après avoir dessiné de grands cercles dans l'air sans vent, il pique les ailes ouvertes droit vers la tente tremblante. Dans ses serres

4. Les animaux représentés sur les totems, comme le castor, l'ours, le loup, le requin, la baleine, le corbeau, l'aigle, la grenouille et le moustique, servent à affirmer visuellement l'appartenance à un groupe et son identité. Les totems sont habilement sculptés dans du genévrier rouge et peints de noir, de rouge, de bleu et parfois de blanc et de jaune. Leurs dimensions varient, les mâts de façade dépassant parfois 15 m de hauteur, et 1 m de largeur à la base. Ils font généralement face à une rivière ou à l'océan.

vigoureuses, il agrippe la corde tressée et la tire haut dans le mirage du soleil.

Les visages des Wendats se crispent. Leur seul espoir de faire revivre le vent au village s'envole entre les griffes du rapace.

Un petit moment plus tard, alors que là-bas, dans ses terrains de chasse, Hannenorak écoute un ruisseau murmurer, il entend tout à coup un craquement de branches dans l'arbre qui s'étire au-dessus de sa tête. Puis, une voix grave trompette son nom :

– Hannenorak.

– Hannenorak.

– Fils de la Mère-Terre.

– Sauve ton peuple.

Hannenorak pense rêver. Il lève la tête vers les hautes branches de l'arbre, et aperçoit alors l'Oiseau-Tonnerre qui lui parle de nouveau en tenant dans ses griffes une longue corde toute tressée.

— Hannenorak, reprend l'aigle.

— Le destin t'a choisi.

Et le Grand Aigle à tête blanche raconte au jeune chasseur tout ce qui se passe et se dit dans son village.

— Maintenant, dit l'aigle, tu dois défaire les tresses de cette corde que je tiens dans mes griffes.

L'aigle laisse tomber la corde aux pieds du jeune homme.

— Personne ne peut délier une corde de la tente tremblante, réplique Hannenorak.

— Toi, répond l'Oiseau-Tonnerre, tu le sauras. Consulte tes amis les animaux.

« C'est bon de causer avec les animaux de la forêt », lui a souvent répété son grand-père.

Hannenorak sait qu'il doit donc tout de suite partir pour le refuge des animaux.

Dans la forêt, les animaux discutent.

Belette répète à tous ses frères les propos de Grand Aigle. Et Orignal organise un grand rassemblement dans un bûché, à l'endroit même où les hommes du Cap à l'Aigle ont coupé tout le bois nécessaire pour le prochain hiver. Tous les animaux de la forêt sont invités à se joindre à cette réunion pour régler le problème des gens du village.

Orignal envoie Renard au-devant d'Hannenorak pour qu'il vienne vite entendre ce que les chefs de clan représentés dans le totem de la tribu des Wendats ont à proposer pour faire souffler le vent de nouveau au-dessus du village.

Comme le veut la coutume chez les Wendats, c'est en cercle que se placent l'ours, le chevreuil, le loup, la tortue et Hannenorak pour l'importante réunion. Tour à tour, en commençant par la droite du jeune homme, chacun est invité à parler.

— C'est par la médecine, dit Ours, que nous allons guérir le vent. Je détiens de mes ancêtres les secrets de la médecine. D'ici quelques jours, je trouverai un médicament pour soigner le vent.

— Voyons donc, rouspète Loup, on sait bien que c'est par la ruse qu'on réussira à sortir le vent de sa tanière. Ne savez-vous pas que les loups peuvent hurler au vent afin de convaincre même les plus méfiants de sortir pour reconnaître qui peut bien chanter une telle complainte ?

— Stupidités, dit Chevreuil, c'est en usant de sagesse que nous réussirons à raisonner le vent. Reconnaissez que ma réputation n'est plus à faire et que par quelques beaux discours, le vent acceptera de retourner au village.

— Vous allez vite aux conclusions, interrompt Tortue. Si j'ai porté la Terre entière sur mon dos, je saurai bien porter le vent jusqu'au village.

Hannenorak suggère finalement que les quatre animaux aient jusqu'à la prochaine pleine lune pour réussir chacun leur plan.

Son grand-père lui a déjà dit : « Donne à tous la même chance. Nous sommes tous frères et la Terre est notre mère à tous. Nous n'avons pas besoin de lutte parmi nous».

Chapitre six

Pendant ce temps, Marmotte, qui connaît bien les mouvements de l'air, réfléchit à une astuce pour déjouer le vent. Elle se rappelle alors le tour que son père lui avait joué le jour où il lui avait demandé d'aller chercher la corde à virer le vent derrière le canot couché sur la berge du lac. Il lui vient donc l'idée de suggérer à Hannenorak de fabriquer un collet comme celui dont on se sert pour attraper le saumon au pied des chutes.

Marmotte raconte à Hannenorak que le collet est une belle image du cercle. Elle rappelle au jeune chasseur que les Anciens disent que tout dans la vie se déroule de façon circulaire et qu'il en découle que chacun porte ainsi une part de responsabilité dans le cycle de la vie.

– Voilà ta part, dit Marmotte.

– J'ai le pressentiment que cette corde est magique, répond Hannenorak.

– Prends-la et fais-en un collet.

Hannenorak, incrédule, accepte la corde. Il y fait une boucle et commence à la faire tournoyer devant lui.

Et plus il fait tourner la corde, plus la boucle s'agrandit.

Les poignets fatigués, Hannenorak arrête finalement son mouvement. Quelle n'est pas alors sa surprise de constater que la corde est maintenant beaucoup plus longue qu'avant et que les tresses ont été complètement défaites par le tournoiement dans le vent.

Sans retenue, Marmotte sifflote à travers toute la forêt que c'est grâce à elle qu'Hannenorak a réussi à défaire les tresses de la corde de la tente tremblante. Quand les autres animaux reviennent tout penauds devant Hannenorak, ce dernier les console malgré tout en leur rappelant que chacun de leurs grands pouvoirs est bien reconnu de tous. Puis, il prend congé de ses amis pour retourner auprès de son grand-père et lui demander conseil à propos des récents événements.

Il se rappelle les derniers mots de Marmotte : « Maintenant, tu sais manier la corde, alors va et attrape le vent ».

Hannenorak raconte à son grand-père tout ce qui vient de se passer et lui avoue ne pas savoir quoi faire avec la corde.

— La nuit porte conseil. Demain, tu y verras plus clair, lui répond Habile-Chasseur.

Hannenorak dort mal. Il rêve à son village, à ses amis là-bas, à ses parents et surtout à la belle Oandicha, qui lui manque beaucoup. Oandicha est en fait sa meilleure amie, et c'est à elle qu'il confie tous ses secrets. Il voudrait bien qu'elle soit auprès de lui pour lui tenir la main et l'encourager par son si beau sourire.

Mais il est seul dans la nuit. Seul face à une mission qu'il comprend maintenant comme l'épreuve de son destin. Le sien et celui de tout son peuple.

Au premier rayon du soleil, il se lève, prend la corde et s'avance jusqu'au lac.

Il vire la corde au vent et la lance vers le ciel. La corde s'allonge et le collet s'ouvre de plus en plus. Puis, Hannenorak attrape le vent par l'aile. Il tire un coup sec sur la corde et un coin du vent se déchire. Alors, le jeune Wendat ramène la corde vers lui pendant que le vent s'agite comme une truite au bout de la ligne. Le vent plane tout d'abord au-dessus du lac, puis il prend derrière Hannenorak la direction de la forêt. La tête des arbres se met aussitôt à virevolter et le vent, en soufflant à gauche et à droite, suit joyeusement Hannenorak dans le sentier qui mène au village. Si bien qu'Hannenorak avance bientôt dans un corridor baigné par les douces caresses d'une brise de soie.

Chapitre sept

Le village est bien calme. Plusieurs dorment encore. Oandicha, qui flâne à ramasser du foin d'odeur, sent soudain une mèche de ses cheveux lui flatter le menton. Elle jette un regard vers la forêt et voit Hannenorak approcher avec sa prise au bout de la corde. Elle court vite vers lui et lui donne un baiser sur la joue tant elle est contente de le revoir. Le vent ricane derrière eux.

Une brise trop longtemps disparue du village se répand alors de longue maison en longue maison. Bientôt, tous les Wendats se rassemblent devant la tente tremblante. Hannenorak s'avance au milieu d'eux avec sa corde et le vent tout au bout, un vent qui a les bajoues gonflées, prêt à souffler sur toutes les coiffes.

Hannenorak coupe tout à coup la boucle de la corde, laissant s'échapper le vent qui se dandine vers les nuages en grandissant tellement qu'il recouvre très vite tout le village.

La vie reprend enfin son souffle. Les tambours se remettent à jouer. Les danses reprennent. Des chants se font entendre. Et Adario est celui qui chante le plus fort. Le vent agace même le feu et la braise se ravive au pétillement du bois.

Hannenorak se sent étourdi par toute cette joyeuse fébrilité.

Soudain, des pleurs se font entendre. Tous les Wendats se taisent et se tournent d'un même mouvement en direction de l'épinette blanche. L'enfant gardien de la force est revenu. La Sage Femme, qui accompagne les mères à la naissance de leurs enfants, le prend dans ses bras et le présente à tous les Wendats : « Voici l'Enfant des vents, dit-elle. Il a voyagé dans les cieux et les étoiles l'ont rencontré. Sa force sera remarquable et il connaîtra l'enseignement des ancêtres. Il sèmera à tous les vents les traditions de notre peuple. Grâce à lui, nos paroles seront protégées pour toujours. »

Ce même soir, la paix est douce dans le village. Tous ses habitants vont au lit dès le coucher du soleil. Il est bon, enfin, de profiter d'une bonne nuit fraîche bercé par le sifflement joyeux du vent, qui visite une à une les longues maisons pour se faire pardonner d'être parti si longtemps. D'ailleurs, le vent ne se couche pas de la nuit même s'il est bien fatigué après une si longue course au bout d'une corde.

Au matin, Adario le Grand-Chef rassemble tous les Wendats sur la grande place, au centre du village. Il leur rappelle qu'il avait promis de donner sa fille à celui qui réussirait à défaire les tresses de la corde de la tente tremblante. Et une promesse de Grand-Chef, ça ne se défait pas, encore moins qu'une corde tressée. Oandicha est donc destinée à Hannenorak. Ils sont cependant encore tous les deux bien jeunes, alors ils se jettent simplement un regard moqueur et courent en riant vers le champ de bleuets. Le vent ébouriffe joyeusement leurs cheveux et le village, derrière eux, respire à nouveau le bonheur.

Imprimé sur du Rolland Enviro100, contenant 100% de fibres recyclées postconsommation, certifié Éco-Logo, Procédé sans chlore, FSC Recyclé et fabriqué à partir d'énergie biogaz.

La production du titre *Hannenorak et le vent* sur du papier Rolland Enviro100 Édition, plutôt que sur du papier vierge, réduit notre empreinte écologique et aide l'environnement des façons suivantes :

Arbre sauvé : 1
Évite la production de déchets solides de 23 kg
Réduit la quantité d'eau utilisée de 2 179 L
Réduit les matières en suspension dans l'eau de 0,1 kg
Réduit les émissions atmosphériques de 51 kg
Réduit la consommation de gaz naturel de 3 m³

Marquis imprimeur inc.

Québec, Canada,
octobre 2008